folio benjamin

TRADUCTION DE CHRISTINE MAYER

ISBN : 2-07-054882-1
Titre original : *Not now Bernard*
Publié pour la première fois par Andersen Press Ltd., Londres
© David Mc Kee, 1980, pour le texte et les illustrations
© Éditions Gallimard Jeunesse, 1981,
pour la traduction française,
2002, pour la présente édition

Numéro d'édition : 04682
Loi n° 46-956 du 16 juillet 1949
sur les publications destinées à la jeunesse
Dépôt légal : février 2002
Imprimé en Italie par Editoriale Lloyd
Réalisation Octavo

David McKee

Bernard
et le monstre

GALLIMARD JEUNESSE

– Coucou, papa ! dit Bernard.

– Pas maintenant, Bernard,
dit son papa.

– Coucou, maman ! dit Bernard.

– Pas maintenant, Bernard,
dit sa maman.

– Il y a un monstre dans le jardin
et il va me manger, dit Bernard.

– Pas maintenant, Bernard,
dit sa maman.

Bernard sort dans le jardin.

– Coucou, monstre !
dit Bernard.

Mais le monstre dévore Bernard
jusqu'au dernier morceau.

Puis le monstre entre
dans la maison.

– Grrr… Grrr, fait le monstre
derrière la maman de Bernard.

– Pas maintenant, Bernard,
dit la maman.

Le monstre mord la jambe
du papa de Bernard.

– Pas maintenant, Bernard,
dit le papa.

– Ton dîner est prêt,
dit la maman de Bernard.

Elle pose le dîner
devant la télévision.

Le monstre dévore le dîner.

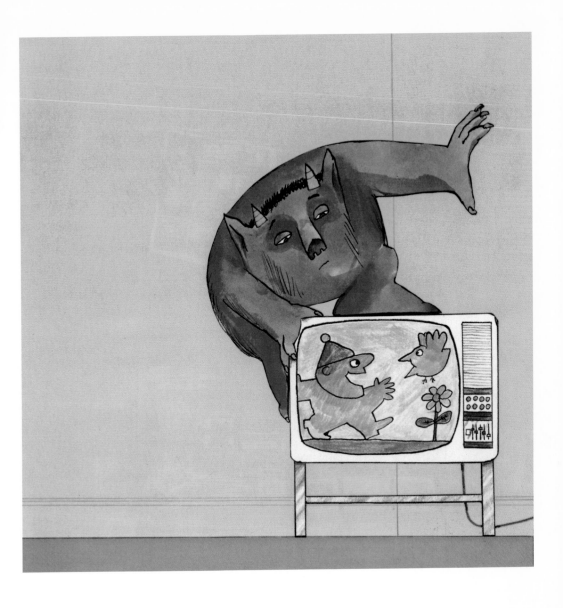

Puis il regarde la télévision.

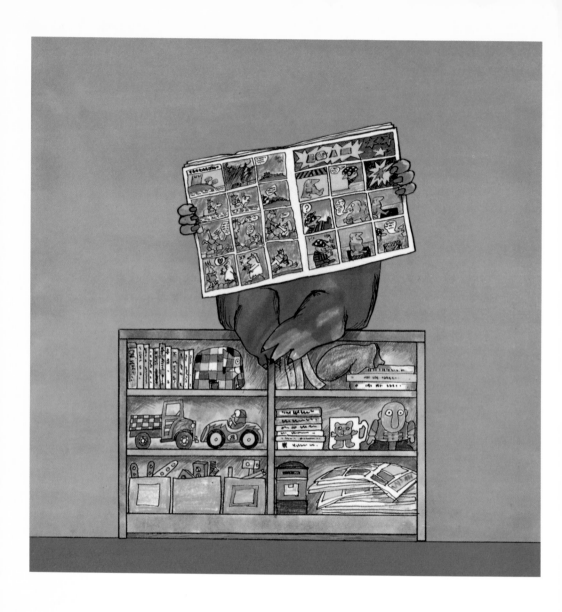

Il lit quelques bandes dessinées
de Bernard.

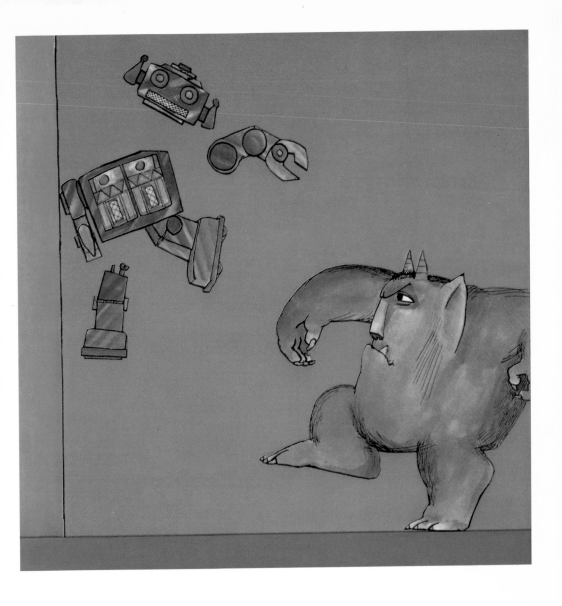

Il casse tous ses jouets.

– Va au lit, je t'ai porté un verre
de lait dans ta chambre,
crie la maman de Bernard.

Le monstre monte les escaliers.

– Mais je suis un monstre, dit-il.

– Pas maintenant, Bernard,
dit la maman.

Fin

L'AUTEUR - ILLUSTRATEUR

David McKee est né en Angleterre en 1935. Il affirme être devenu auteur-illustrateur « pour ne pas travailler ». Il est pourtant à la tête d'une œuvre considérable : plus d'une centaine de livres depuis 1964, des dessins animés et de nombreuses illustrations.

David McKee a commencé sa carrière comme humoriste-caricaturiste au magazine *Punch* ; depuis il ne cesse d'être le chroniqueur spirituel, acerbe mais affectueux, des mœurs et des travers de notre société. Il s'intéresse aux problèmes engendrés par le manque de communication entre les êtres, attirant l'attention des parents et réconfortant les enfants.

Il a une vie bien remplie partagée entre le Sud de la France et Londres, trois enfants déjà grands et une société de production de films qu'il a fondée, King Rollo, du nom de l'un de ses personnages. Elle produit de nombreux dessins animés, vendus dans le monde entier.

Mais David McKee continue, bien sûr, à écrire et à illustrer des histoires. *Bernard et le monstre*, l'un de ses ouvrages préférés, est un grand classique, traduit en plusieurs langues.

folio benjamin